JN119496

TOKYO STORY

本書は二〇十九年より二〇二〇年春までのエッセイを掲載致しました。

「人生は楽しいですか」突然の質問だった。
私は一瞬躊躇し少し時間を置き
「いやー楽しい事はそんなにないですねー」と答え彼を見た。
八十に近い彼は「ないよねー」と答え
「人生って何だろう」と呟いた。
「人生なんて何もないし、只この瞬間存在しているだけかなー」
と苦笑いし別れ、歩きはじめた。
私達は最も単純な問いに答える事ができない
「人生って何だろう」見上げると
東京タワーに灯りがともる瞬間だった
帰って窓越しに見る夕方の東京タワーが違って見え
人生は思ったよりずっと短いと知らされた。

渋谷の繁華街で信号待ちの中年がこちらを見ている
すれ違うと横顔が父親だった。
振り返ると歩き方まで似ている
最近商店で買い物をする母親もよく目にするが
近かづくと違っている。「でも今日は違う」
あんな背広親父も着てたなーと思ったが
声をかける勇気がなかった
人は誰でも自分の心をふと見ることがある。
そのまま山手線に乗り、外を見ると
窓越しの風景はどんどん迫り遠くへ流れ去って行く
「声をかけて話したかった」
車窓の風景は止まることなく現れ戻らなかった。

散歩の途中公園で親子がキャッチボールをしている。
ゆっくりとそばを通ると子供の瞳がハニカンで
まぶしそうな顔が輝いている
息子にもそんな時があった。「親父って何だろう」
親からは永遠のまぶしさも子供から見るとほんの一瞬
大きく育った時、まぶしそうな顔は何処に逃げて行ったの？
人混みの中に忘れたの！
足早に若いサラリーマンがメールを打ち親父のことは忘れて
都会の公園を横切る
キャッチボールは遠い日だったのかい。

高校野球のテレビに目をやり
「どこ出身」と隣の客が聞いて来た。
狭い新橋の立ち飲み屋は五人も入れば満員
皆故郷の高校に胸を張る。
「決勝が過ぎれば夏休みも終わりだなー」と
ドライヤーを片手に時計を見ると
テレビから試合開始の合図が聞こえた。
「急がなきゃ彼女が待っている」
あの時から高校野球は置いてきぼり
時が私を追い越して「高校野球は青春です」と答え
気が付けば、熱い想いも夢も置いてきぼりのまま
人々は都会に住み
狭い空間で夢に追いつけない。

5

「あれー、このビルいつ建ったの」久しぶりの彼女は
ビルガラスに映るスタイルを気にしながら話を続けた。
私にとってはいつもの駅前
人の多さだけが気になり似た様なビルが並ぶ
「やっぱり東京ねー、ビルがおしゃれ」
見上げるとビルが誇らしげに微笑んでいるように見えた。
早朝から作業員や車両をのみ込み
気が付けばサラリーマンをのみ込んで
私のことなど目もくれず
知らず知らずのうちに変わって行くビルの街。
時は流れるものではなく拡がって
少しも振り返らない東京はビル風が吠え
王者のように空に向かってのびている。

7

打合せ後の飲み会で少し酔った先方の顧問が
「じゃー、オオトンで帰りますか」と言って
言い直そうとした。「いいですね！」と答えると目が合った
昭和も半分を過ぎた頃、男の子はみんな不良に憧れ真似もした。
顧問が「フリ銭でもう一杯行きますか」と私に試すように返す
「ヤリ銭でもいいですよ」と答えると嬉しそうに
「荒木町でどうですか」と腕を突いてタクシーに手を上げた。
二人で昭和の歌を唄い飲み、最後は母校の応援歌
元大手企業の部長だった顧問、真面目に反抗もせず家族のために
信頼される肩書が必要と、企業の駒となり都会で生きてきて
「押忍」と言ったその顔は懐かしい不良少年だった。
自由業で我儘に生きてきた半端な不良に眩しい笑顔で
「来週の打ち合わせも同じ時間で」と私を背にタクシーに消え
都会のネオンが、束の間昔に戻した狭い夜空も消していた。

タップダンスのように地下鉄の階段を降りて行く
可愛い男の子が真似して駆け上がってきた。
思わず手を出すとタッチして照れている
あっという間に君達の時代が来る。
昭和から令和になった様にタップを踏みながら
親父とレスリングをした茶の間が
この先ＳＦ映画のリビングに変わっても
親父の髭剃り後の温もりは伝えたい
ステップ君のパパも同じはず、あの笑顔が語ってる。
いっぱいパパ、ママとステップして「羽ばたいて」と
ステップした足をかばい地下鉄に乗って
残された未来にいく。

待たされてやっと線香をあげて帰ろうとする時
懐かしい歩き方で彼が来た。
「お焼香終わったの?」短い言葉を交わしすれ違った後
駅のホームで知った顔を探したが居なかった。
「あいつだけかー来たのは」と思い、電車に乗ると
後ろから「しばらく」と懐かしい声がした。知った顔は二人
「皆どうしてる」おもわず二人で口にして無言になった。
独立を夢見てゴールデン街で議論し
花園神社で気勢を上げた元職場の五人組
働き盛りの頃にはお互いが独立し会わなくなった。
「皆が競争相手だったから」ぽつんと言った言葉に
「違うよ」とこちらを見て「煩わしかったからさ」と「変なの」
「今になったら笑えるよな」と言って別れたヤツが脳梗塞で入院した。
明日、病院で「明日があるさ、明日がある」と
あの頃の様に「歌ってやる」大声で絶対に。

ある。

TOMORROW TOMORROW TOMORROW TOMORROW TOMORROW TOMORROW

青山通りで修学旅行生達が「ここ港区なんだー」
「東京は広いなー」と原宿に向かって走り出す。
確かに東京にも海がある、東京タワーからほんの少し見える海
青山墓地の高台からはビルしか見えない。
都会の朝は海を忘れて山も忘れて、通勤電車で職場に向かう
磯の香りがしない寿司屋でランチを食べ
サルサの流れるカフェでお茶をする。故郷の海など想いもせずに
秋になったから「海に行ってみない」と女房が言った。
「海?」「竹芝?」、「違うよ」「砂浜を裸足で歩きたいじゃん」
「東京の海は橋が架かってビルの谷間でしょ」
砂浜の音を忘れていた、素足で歩くと砂浜がこたえる
週末の海は中年夫婦に「帰って来ない」とささやいていた。

「返事ないですかー」と部下が言って入ってきた。
雨の日の喫茶店、信頼は報告とあれ程言ったのに
「無視するいじめが増えている」と言っているＴＶを
横眼で追って残った珈琲を飲んだ。
コミュニケーションと言われても会えないのではしょうがない
会って話せば分かり合えるのに一方的に無視をする。
個人も国も簡単な事なのに分からない
「どうします部長に報告は」と珈琲片手に部下が言う
窓の外は小雨になり明るくなってきた昼下がり
結局二時間待っても新人君は来なかった。
「こちらの気持ちも考えずに参ったね」と言って
打たれ強い年寄りは傘もささずに出て行って
議論し合った昭和が懐かしい。

返信に「資料は写真撮ってメールします」と
ひと昔前までは写真を撮る機会は早々無かった。
休日にアルバムを見ると平成の半ばでページが終わっている
「紙焼き写真の終焉」である。
今ではメモ帳代わりの写真、撮る方も撮られる方も緊張がなく
味気のない綺麗な写真はデータで山のようにスマホの中にある。
モノクロフィルムの昭和史、両親たちの青春時代は見事に無く
高度成長期に増えたアルバムとカラー「カメラは高価だった」
友達と撮った写真は極めて少ないなかに
名前も忘れた彼、彼女たちが私のアルバムで笑っている。
きっと同じ様に私も知らないアルバムに知った顔して笑ってる
「いつまでも時間を閉じ込め」忘れられた旅行者の様に
進まない時間への喪失感の中で漂って笑っている
変わらない写真に不思議さと怖さを感じアルバムを閉じた。

久しぶりに変わらないニコライ堂の前を通り
本郷通りを少し行くと学園紛争のあの頃は
学食が入った五号館。授業のない毎日
終日新宿の喫茶店に集まり夜はディスコにバイト
無意味な時間の中で何を考えていたのだろうか「思い出せない」
今の若者にあるのだろうかあの空白が、リタイヤした今
大企業や学派にほんろうされ理不尽な思いもしたが
ここまで来れたのは、あの二年間の空白があったからと思いたい。
全てが熱く訳もなくハチャメチャになって、浪費するだけの日々に
意味があったと「思い出せないのは」もう十分に大人だから?
「考えるには」あまりにも無知だったから?「聖橋は答えない」
時代に踊らされ、逆らえず流されてちっぽけな小舟は
今もあの無意味な幸せに揺らいでる。

玄関に居間に花が一輪「定額で毎日花屋さんに行くと花が
もらえるアプリなの」と凄い時代である。
なんでもネットで済む時代、便利だが年寄りには分からない。
昔は営業マンがサービス品を配り来店を待ち、人の手を返して事が進み
それなりの仕事にもなった。「今は専門性が高い程ＡＩにとって代わる」
大昔なら猟をしてさばいて売って道具も作ったが、文明の知恵が
分業化させ我々は栄えている。「でもそろそろ終わりらしい」
豆腐屋も魚屋も街角から消え、綺麗になった今日の表通りは
オフィースビルとサラリーマン、将来はコンピュータの音だけがして
人はどこかえ行ってしまうのだろうか「そんなのいやだねー」と
ビールを飲み干すと、スマホをかざして「この店の側にもあったから
花もらってくる」と「便利だねー、ほんの数年で」
あっちこっちで置いてきぼりが集まって数年前を懐かしみ
東京は一夜明けると変って行く「街は変わっても」
俺たち死ぬまで変われない。希望のなさをそのままに愚痴を言い
同級生の店主に花一輪渡して店を後にした。

交差点で冷凍車が横切った懐かしいロゴマークが走って行く
四十代で逝った友の会社、弟が継いだ。
あれから二十五年アイツはスマホも知らず
まして二度目のオリンピックが来るなんて
「世の中変わったよ」と心の中で呟き、これから帰ると
家にLINEし、ふと寒い夜に公衆電話で彼女に電話していた
アイツの横顔を思い出して「急ぎすぎだよ」と言いたかった。
「粘りすぎだよ」と返しそうなアイツ「だよなー」だらだらと
時間を浪費し、つまらない事に悩みまだ都会の雑踏にいる。
「趣味はありますか?」と聞かれるが答えられない
まして夢を追うなんて。あの頃のパワーは無くなっても
積み重ねた「何かがあるはず」とアイツが言ってきた。
「そうだ、何かを」見つけてみよう
秋晴れの朝「もう少し粘るぞー」と窓を開け放つ。

明け方目が覚めた。友の病を知って
静かに高層ビルが太陽を映し出し
窓から見る駅や電車はジオラマ模型の様で
駅から人々が一斉に散ってビルに姿を消す一瞬の静かな朝
故郷の「彼の病室からは何が見えているのだろう」
伸びきったゴム輪の様な雲がゆっくりとビル街を覆って来る。
田舎では歩いていても山々が見えた「きっと見えている」
静けさも、雑音も、見え透いた言葉も、田舎の山々にはかなわない
「山が元気をくれる」話すことはないけれど故郷に帰る。
あの山にも会いたくて、久々の故郷に
彼が会わしてくれる「病の友が・・・」
乾いた都会の先に空を知る。

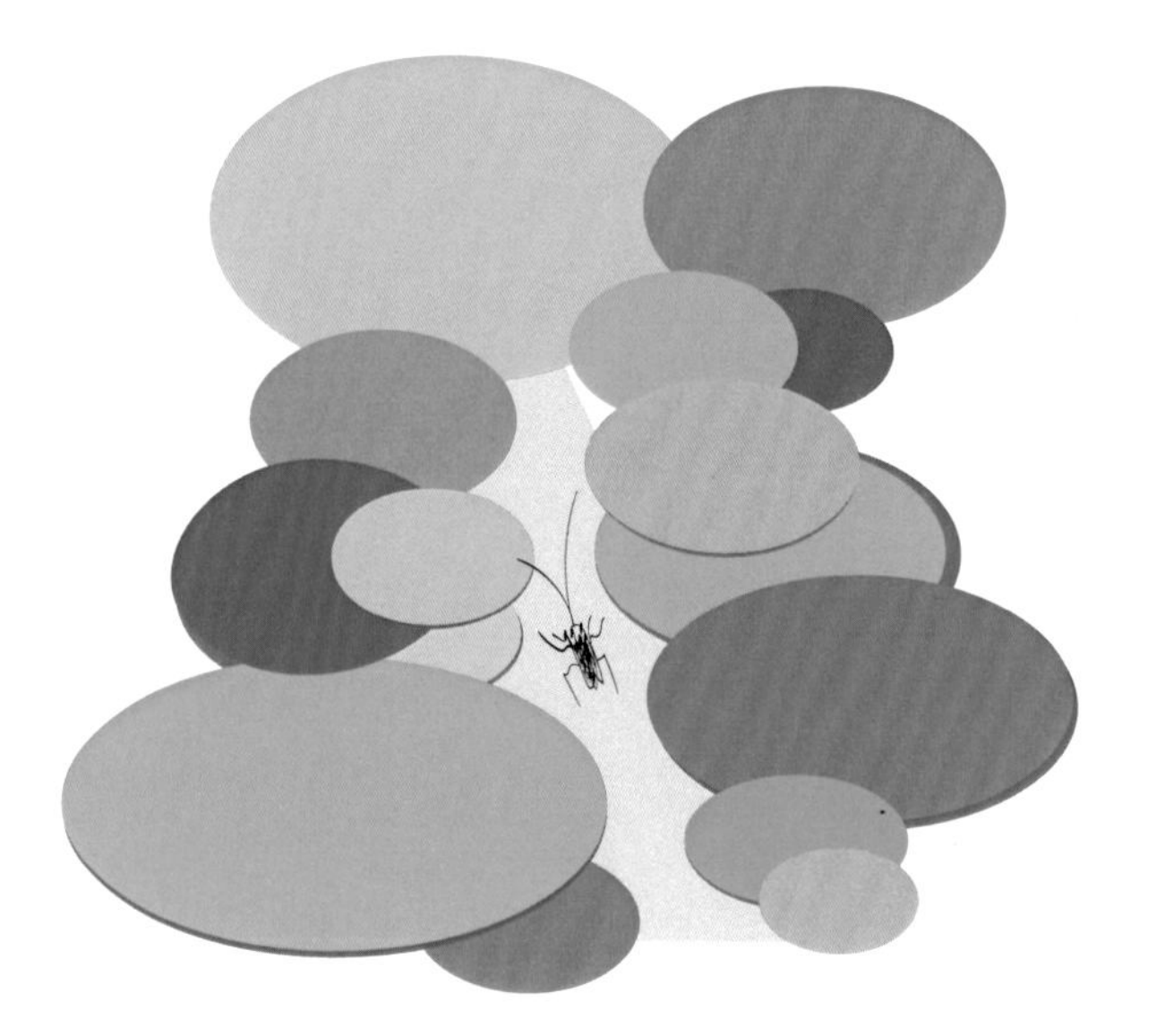

ボイジャー一号は飛んでいる、確実に。
最も遠い星間空間を四十年以上かけて今も・・・
「遠くに来たなー」「歳を取ったなー」と呟いても誰もいない空間で
「寂しさをどうして断ち切るの」と聞きたくて夜空を仰いだ。
ビルの明かりで星が見えない都会の夜空に
月だけが大きく見えて気が変わり
「どうしてそんなに明るく楽しいの」と聞いてみた。
答えはしないが分かった気にさせる「お月様ってすごいね！」
酔っぱらいの傍らでコオロギが答えた、都会の小さな公園。
「君は公園の果てを目指して旅をしたかい?」ボイジャーのように
俺も冒険はしたかったけど、
たぎる心を置き去りにして無難にここまで来た。
今からだってあの明るい月にも行ってみたい「行けるかなー」
「歳を積み重ねポッカリ空いた心に」
コオロギは答えず季節を追って鳴いていた。

Waiting for Spring

冬空の冷たいビル風を受け
「願わくは花の下にて春しなん」と詠んでいる
西行の気持ちがわかるような気がしたが
「この寒さがあってだよなー」と思い
本屋に立ち寄り春を待つ気持ちで花の図鑑を買った。
冬があっての春、夏があっての秋、辛い時もある
分かっているが辛抱のない弱虫は自分勝手な理屈を探す。
何事にも時間が必要なことを都会の暮らしは教えてくれない
「時間と言う速度の大切さを」春が語り、花が語る。
自然の美しさはそうして成り立っている「我々人間も」
待つと言う事はワクワクする事でもあり夢も育む
ビル風吹く都会の冬にも必ず春は来る
まだまだ西行の心には近づけない。

喫茶店に入ると若者達がスマホを見て黙ってる。
電車の中でも皆「面白いかい」遠い昔、世の中は
同じ歌を唄い、同じ映画にスポーツに一喜一憂し繋がっていた。
同じ話題で盛り上がり同じ歌で肩が組める「今でも」
同じ様に歩んでなんかいないのに「よかったなー、昔で」
「今」若者が一緒に唄い肩を組む光景が浮かばない。
先輩達の時代は熱かったんですね！と言われそうだが
きっと若者達にも肩を組んで一緒になれる物があるはず
誰もが口ずさむ歌よりもアニメやゲームかも知れないが
ほんの少し「今が」煩わしいだけ「心配なんかいらないね」
そうさ心の置き所はつねにある、俺たちだってそうだった。
限られた時間の中でもがいて「走って」忘れていた！
ほんの少し歳を取って寂しくなるまでは。

「またおばあちゃんが寝てる」とよく妻が言っていた。
今、テレビを見ていてウトウトする自分が居る
妻を六年前に亡くし娘との二人暮らし
ささやかな人生の糸を繋いでここまで来たが
この春には娘が遠くに嫁ぐ「一人で生きる覚悟はできた」
近頃都会では孤独に生きる事は珍しくもないが
寂しい気持ちは隠せない。心の混沌を整理する事が
断捨離と思って「娘には何も言わず、何も残さない」
いつの間にか行儀の良い街は人間同士の触れ合いも失われ
「お早う」の言葉も忘れそうだが「俺は違う」
妻や娘に声をかければ事足りた時代から踏み出して
限りある時間の中「未来など分からなくても」
この街と行儀悪く生きていく。

散歩していると人が追い越していく、歩き方は同じと思っても
「歳だなー」「皆も同じかなー」都会の午後。
「今度隣駅に越すんだよ」と言って商店街の魚屋が店じまいする
長い付き合いだったが息子と鮨屋に変わる
「前向きなんだなー」先輩の大将は、学校を出てから家業を継ぎ
商店街でも新しい企画をやってのけ、町を盛り上げて来た。
俺はいつも待ちの人生だった、線路わきの石の様に
積極的に歩めば違ったのかわからない
会社は大きいが決まったルーティング、嫌とも思わずやって来て
考えると多少の波風も何とかやり過ごせた。
待ちの人生だったから?路傍の石だっから?
誰にも図れない「幸せはどちら側にもあるんだよ」
歩み方は違っても、「いつだって」この先も。

その時は今ひとつと思えても
時間が経つにつれ変わってゆく
遠い昔は気にもしなかったスロープに手を添えて
外に出ると真っ直ぐ背筋を伸ばしたタワーが迫ってた。
物事の一面しか見えていなかった若い頃
あのタワー側のレストランで夜が更けるまで
自分達が一番と思い騒いでタワーの姿など見ていなかった。
「こんなにも力強かったんだ」本当は、
経験してきた集積がその人を形づけるように
支配的な高層ビルにはない姿がそこにある。
俺には形づける積み重ねもなくフワフワと流されて
思えばいつも側で暮らして来た。そろそろ故郷に帰るけど
今ひとつだった東京タワーは真っ直ぐで
気が付けば心の真ん中に重く刺さっていた。

高校を出たあの頃、東京は輝いて
東京タワーは誇らしく空は高く広がっていた。
時がたち東京の空は小さく時の歩みも速くなった中で
「変わらない物は何?・」総取り換えした様に変身した東京で
石神井公園の茶屋は変わらずにある。
ワニが出現した以外は時が止まった様にたたずんで変わらない。
毎日の様にざわめいた喫茶店で会い、麻雀屋で朝を迎え
時が永遠のように思えた広い空の下で
知らず知らずのうちに変わる事など思いもせずにいた。
「よぉ」と声をかける「なんだーお前か」と
懐かしい店主夫婦の笑顔、彼らは楽しかったあの頃の友
「変わらない物を見つけた」空も木々も昔と同じに輝く緑の中
包み込まれる様な錯覚に「ここがいつだか」分からない。

デジタルデータであるDVDの動画は
映画フイルムよりも人間の意識に近いと言われている。
フイルムのコマに相当する瞬間的な意識は存在しない
意識は数字に変換されたDVDに似ているのだと
それは出来事をひと塊として我々が感じ取る為らしい。
確かに物事を塊で捉えて、いつも失敗を重ねている
もう少し一つ一つコマ送りの様に吟味して歩んで来たなら
定年後の備えも違っていたろうが・・・
現実はのんびり山や海を見る暮らしより狭い空を見上げ
目を移せば世話しなく行き交う人々や無責任な話が
鮮やかな画像となって沁み込みひと塊の不思議となり
自分の中に留まって歩き出し空回りして
今日も笑いと涙の都会の暮らしがDVDの様に続いている。

満開の桜の入学式「これはよそうよ」と写真を外した。
「入学式って桜でしょ?・違う」とスタッフが反論してきて
皆がうなずき「そうですねぇ」と取り下げた。
人生はちょっとした事で左右される、子供の入学式に行けなかった
入学式準備の買い物帰りの親子を車が跳ね
それから立ち直るまで十年そしてまた十年が経ったのに
桜の下の入学式は受け入れられない。
人生はちょっとした事の積み重ね、右に行くか左に行くか迫られて
やり直せない。違った人生などないけれど時々立ち止まる、
いつも何かが欠けているようで。
夫婦二人、今幸せと感じながらもお互い触れずに時が過ぎた。
そろそろ冬も終わりの頃「日曜日どうする」と妻が言い
「桜見に行こうか」と答えていた。

電車に乗ると突然「どうぞ」と席を譲られて
「いいです」と二度目の経験を断った。
人は自分の置かれている環境のなかでしか想像できない
若いつもりがそうではないと知らされた。
孫が居ればおじいちゃんであるが、今の所お父さんでいる。
「じじは嫌だけど、チョット嬉しいんだよ」と友が言う
「分からない」昔ならとっくに爺の年代でジーンズを穿いている
「年相応って何だろう」一瞬考えレゲエに聞き入った。
リタイヤしても流れに合わせようとする団塊世代
物事の衰える兆しは、最も盛んな時からあるとは気が付かず
令和の爺は違うと言いたいが世間は認めない
アタフタ組の年寄りは今日もあっちこっちで溺れそう。

それは突然だった、懐かしい顔が笑ってる。
吾妻橋脇のビヤホールが赤いネオンに輝いて
ホオズキ市の終わった頃
浅草は観光客も少なく静かな町だった。
ホオズキが上手く鳴らせず戸惑っていると「ちょっと貸して」と
下町育ちの彼女はいとも簡単に鳴らして照れた様にはにかんだ。
可愛いおでこに赤いネオンがかぶって大人に見え
隅田川の夜空は広く、灯りが優しくささやいて時は永遠だった。
日本髪の似合ったあの黒髪に白さが目立っても「輝いている」
銀座線の向こうのホームで、躊躇したが戻ってみた
「海に行く約束したよね」と聞きたくて。

地球は太陽を一年で周り太陽系は銀河系を
二百二十キロで公転し「只今二十三周目」だそうだ。
「人生なんて短いね」そう一瞬なんだよと
グラスにビールを注がれて今日も終わる。
二十三周目の地球の中では複雑なしがらみも
銀河系からは見えないけれど俺たちには見えている。
どこまでも複雑な社会も月から見たら「綺麗かなー」と
グダグダ言いながら先のリタイヤを忘れ不思議と満足して
明日になればいつもの様に出社する。
瞬きする間に子供は大きくなり、リタイヤ組に入ったが
「驚きはしない」子供も孫も二十四周目の地球は見られない
そう思うとリタイヤと肩が組めて楽になり
「早く来い来い春よ来い」と浮かれていつもの酒を飲む。

見知った人を見かけた病院のロビー、声はかけなかった。
奥さんに腕を引かれて元気だったあの人が
「俺もああなるのかなー」と頭をかすめる
変えられないものが順番に確実にやってくる。
見渡すと手を引かれた自分が歩いて来て
「すいません」と小さい声で会釈した。黙って見送り我に帰ると
隣で妻が本を読んでいる、何事も無かった様に
遠いと思っていたものが実は近いと知る時だった。
帰り道「幸せかい」と聞きたかったが他愛もない話しか出来なかった
いつも言い出せない昭和の男「もう時間がないよ」と高層ビルが言っている
「分かっているよ」と苛立つ心も昭和の男、令和の街角は似合わないが
知ろうとする心より信じ合う心と気づかされ
「聞くよりもね！」と小声で返し妻の後を追って行く。

檜皮葺の屋根を見て「朽ちて行く」美しさを知った。
歳を重ねる事は自分を知る事だと静けさの中にやって来て
「一瞬に」教えてくれるものが確かにある。
目まぐるしく変わる世の中で
こんなにも美しいのはそれが消えゆくものだからと
時が育む檜皮の屋根が語っている。
「いつまでも残って欲しい」身勝手に考えながら
角張った都会の喧騒に戻ってきた。
集中力も記憶力も体力も衰えて、風貌が冴えなくなっても
時間が思いやりに気づかせ美しく歩ませてくれる。
「そうだね」と東京駅の駅舎が夕陽に染まり出し
「了解」と笑顔でウインクして返した。

若者で混み合う新宿の街角で
忘れかける程久しぶりの友人たち。
連日この街でたむろし、くだらない話に笑い転げ
政治の話は笑い飛ばし、女の子をからかっては
大人から「人生ナメルな」と言われ
顔を見合わせたあの日が懐かしい。
「分からない大人に」説明する気もなかった我々が
今では年寄り扱いされ若者たちから嫌われる。
笑ってないとやってられないだけだったのに・・・
「そうだったなー」そんな遠い日を振り返り
長髪の髪が薄くなった彼らと
ポニーテールを懐かしむ彼女達は
世代の繰り返しに笑い転げ杯をかたむけた。

言葉は思想である、なるほど
ああだこうだと理屈をこね
ああだこうだと言い訳する。
便利な言葉に嘘があり
思想のかけらなど微塵もなく
無責任に使っていた。
気が付けば言葉に踊らされ
勇気ももらいやって来た。
人間はいつから言葉を持ったのか
先ずは共同作業の道具から
今では思想を持ち栄えてる
なるほど、正体がわからぬ怪物だ。

海に行くと飲んで騒いだ浜は
もう冬の気配が感じられ静かだった。
季節は後戻りせず刻々と変化して
汐波が「留まるな」と唸り留まらない
翌日、十代からの日記をシュレッターにかけた。
過去より未来が少ない今だから開きもせずに
「もういいよ」と過去に言い
カレンダーを見ながら電話を入れた。
「明日待っているよ」と弾んだ声が返って来た
同じなんだ皆、過去より未来と気が付き模索して
若い頃と違った自分探しが始まった
週末、昔の仲間たちと海に行く。

「飲みにいくよ」と急に電話があり怒ってみせたが
本当は嬉しい電話、二つ返事で待ち合わせに急ぐ
いつの間にか長い年月を共有しまだ会っている。
そんな友が今回はしんみりと「故郷に帰るんだ」と言って
絵を差し出した。以前から気に入っていた「海の絵」
こんな風に一人去り、また一人とこの都会を後にする。
「東京はビジネスの街だから」の言葉がすんなりと
心の中を通り抜け「だよなー」と返事した。
あれから半年、春の宴に友は居ず知った顔も少なくなった
帰り道。都会のざわめきが大きく波打って
高層ビルの灯りが灯台の灯りの様に揺らいで迫り
気がつくとビルの谷間で「飲みにいくよ」と電話して
友の居る海に思いをはせた。

子供の誕生日、子供が昨日と今日では
変わらないのにと言って少し照れていた。
いつの間にか理屈もこねる年ごろとなり
気が付けば子供から抜け出している。
誕生日を祝えるのはいつの頃までなのか
母は高齢者の仲間入りをした頃から
写真を嫌がっても、誕生日には嬉しい笑顔だったが
男にはシャイな時代があって通じない。
自分だって同じだった、誕生日など気にもせず
毎日夢中で走って大人になっていくあの頃を
何処に置き忘すれたのか思い出せないまま
ケーキのローソクを吹き消している子供の顔が
頼もしく輝いて次の時代に移っていく。

「アインシュタインは七十六で死んだんだって」
「もっと年取ってみえたけど」と隣のテーブルから聞こえてきた。
人はどう生きてどの様な形で区切りをつけるのか答えはない
アインシュタインでさえ、まして俺たち凡人には難しい
「人のどこに自我があるのかアインシュタインに聞きたいね」
グラスを傾け女の子に目をやりながら唐突に先輩が呟いた。
確かに心臓でもないし脳の細胞は腸内細胞からの指示も受けると聞く
「日本人は腹を割って話すと言うから腹でしょう」酒の勢いで言ったが
気になっていた。「本当にどこにあるの?」「主体としての私は?」
自分を認識することは本能的な遺伝より知能集積からとしても
何処に位置するのか「解らない」きっと蜃気楼の様な物なのか・・・
気持ちの良い空を見上げた時、青空が不意に答えてくれた。
「我にして我にあらず、君は居るのだから」とビルの狭間から
そうだよね「体のどこかにフワッとね」「私は誰?」は封印し
両親に会いに行く、平和はいつも妥協で成り立ち
人は人のために存在する自分が確かにいる。

このところ冬というのに暖かく
記録破りで地球には問題らしいとわかっていても
生活を変える事もなく他人事のように過ごしている。
自然の謎や分からないことに真摯に向き合うことをせず
進歩と発展に疑いもせず「良し」として環境破壊がある。
玄関のチャイムが鳴り季節外れの野菜が届き
ニュースではゲリラ豪雨を告げている。
霜柱を踏みしめて高校に通った頃は遠く
アスファルトに電柱のない都会は快適で譲れない。
それでもリセットに真剣に向き合う時だよと
季節外れの雲が出てきて雨が窓をノックする
「決めた」今日からサスティナブルと買い物袋を手に
外に出たシニアは少し心が弾んで雨の中。

隣の芝生は良く見える。
種々雑多なものが脈絡なく入り混じって
同じ人生はふたつとなく
人というのは迷いがあって嫉みもする。
比べることなど出来ないとわかっていても
どうしてこんなに違うのかと羨んだりもし
新聞に目をやれば不幸な記事で埋め尽くされ
自分だけは違うと錯覚し安心してみる。
聞く事と観る事の間にある絶対的な距離
知る事と知らない事にある距離間で
人生の歩みがこんなにも違っている
気が付けば隣の芝が霞んでいく。

ザ・ピーナッツが歌っていた
「ウナ・セラ・ディ東京」が街中で聞こえている
「街はいつでも後ろ姿の幸せばかり」
ずぅーと気になっていたフレーズ。鳩に餌をあげていた
中年のサラリーマンが「いいですか」と言って腰をかけ
黙ったまま夕陽を見ている。組織の駒はあいまいな決定に翻弄され
自分を責めたあの頃「ものは考えよう」とは思わなかった。
だから出世もせず定年を迎え今はひとりバイト暮し
「夕焼けがきれいですね」と声をかけたかった、昔を思い出して。
雪が舞いコートの襟を立て家路に急ぐあの時のサラリーマン達が
一斉に振り向いて「幸せのあり方は見えないんだよ」と叫んでいる
「わかる今なら」我に返ると、サラリーマンが
「後ろ姿の幸せ達に」追いつき横断歩道を渡っている。
ビル街に明日は雪が舞いそうで
現実から逃げることは許されない。

49

若い頃は梅雨が嫌だった。
今、歳を重ねてしとしと降る雨に自分を見る
小麦色の肌に憧れ海にくり出した時
小麦色のあの子に夕陽がささやいた時
今は違う。限られた時間の中で
雨に濡れた若葉の香りを求める時
雨上がりの一瞬にかかる虹を探す時
こんなにも気持ちのあり様を変えたのは時
青春の頃は弾ける様に鮮やかに「長く」働き盛りには
「短かった」そんな時を積み重ねて感じるものがある。
「詫びさび」かも知れないが、俺はそんな物
かなぐり捨て「夏の真ん中に向かって走る」
静かな勇気の時、梅雨が今は好きだ。

夏の安達太良山を思い出す。
早朝からの練習にスパイクを履いたまま寝た昭和の夏を
折しも街はワールドカップ
楕円球は両手でガッチリ捕球しないと取れない。
「タックルされたら素早く起き、ボールを持ったら前に出ろ」
何度言われたことか。スクラムハーフが
状況判断出来ないならグランドを去れとも
あれから社会に出て嫌と言うほどわかっていたのに
前に一歩踏み出せず、状況も読み間違え、今がある。
「明日は休みだ」と歳下の上司が言って
「ラクビー面白そうだよ、見てる」と声をかけられ
「いやー」と曖昧に答え外に出ると晴れ渡る都会の空だった。
楕円球は人生みたいに捕まえられなかったけど
最高だなと思いながら、地下鉄まで夏の空を追って行く。

親父もお袋も無宗教だったが
「親あっての今がある」と言って
いつも仏壇に手を合わせていた。
同じ気持ちで仏壇に手を合わせ鏡を見ると
同じ世代になった自分がいた。
発展する都市に変わらない暮らし
人は根っこの所でそうそう変われない
ＡＩだロボットだと言われるが仏壇に手を合わせ
美化された記憶をたどり線香を上げ話しかけている。
知能は外部化出来ても意識はまだデーター化出来ない
心の中の物事はどれくらい時がたてば変わるの？
「ＡＩに聞いてみたい」がアレクサは答えない
都会では仏壇がフォトフレームに代っていた。

通信インフラが整い社会は変わると報道される。
ネット空間では自分に似た考えの人達ばかりが集い
見たい物を見て、聞きたい物を聞く中で
創造的な仕事が成り立つとは考えにくい
人と人とが会わなければ社会は成り立たないのに。
人工知能によってますます人間の在り様を変え
もっと速く、もっと多く、もっと楽にと、どこまで
続けていけるのか、この先どんな世界が待ち受けているのか
覗いてみたい気はするが、時を越えて未来には行けず
砂時計は進み、気が付けば昔ながらの踊り場にいる。
行動する個人によって「歴史の現実は動く」のだが
シニア世代は過去と言う忘れ去られた空間に漂って
未来に向かって行動するより同級生にメールする。

「ごめんよー」と威勢よく半纏姿の自転車が追い越してゆく
荏原神社の大祭である。
品川は漁師の町「海中渡御は洲崎の寄木神社の神輿よー」と
洲崎っ子が言い海に入って担ぎもする。
平成の半ばまでよく担いだ城南流のカニ歩き
飛び跳ねる様な担ぎはしない。
神輿の太鼓と脇を固めた笛が一緒に練り歩く高層ビルの谷間の一画で
今も「テン、テン、テン、テンックテンック」と酒に酔う昭和があった。
親から子へ子から孫へ友から友へ繋がってこの町も生きている
十年後も五十年後も神輿は揺れ
写真の中の顔は変わっても心粋が繋がって。
「明日の朝」船に乗ってみよう神輿と神楽を追って
海から見る令和の品川はきっと昔と同じ匂いと空を抱き込んで
「テンックテンック」言っている。

暖かくなって少し背筋を伸ばして歩いていると
離婚した友に声を掛けられ振り向いた。
元気そうだが少し精彩ない顔で笑っている
「大丈夫か」と声を掛けたかったが「お子さん元気ですか」
と言われ「まーね」と返した、子供同士も友達だった。
子供にハムスターを預かってと言ってきた頃を思い出し
尋ねると「会っていないので」と足早に駅に向かって行った。
「誰だって強さも弱さも持っている」悪い事きいたかなーと
後を追ったが見失った。「人間は家族する唯一の動物」
失くした者に時間が解決するなどと言いたくはないが
久しぶりに電話を入れたら「再婚したんだよ」と
元気な声が返ってきた。相変わらずの早とちり
空は夏に向かって爽やかに笑ってた。

ミトコンドリアの記事を目にした。
アフリカから来た我らの母「ルーシー」に
母方を追って繋がるミトコンドリアは知っていた。
研究では脳や神経の病に糖尿病
そして老化にも深く関係していると出ている。
老化と聞いても「のんき者」には実感も関心もないが
「それって遺伝?」と子供が真顔で聞いてきた。
父さんは男だからと言い返し母親の強さに嫉妬する。
考えれば父親が子供に「甘い」のは絆探しのせいなのか?
「わからない」両親がかけがえのない存在で
優しかったと今わかり「俺がいる」太古の昔から
幾代も親の優しさは変わらない。子供が大人になって
「わかる」のも変わらない、間違いなくこれからも
振り向くと子供が「どうしたの」と聞いて来た。

「思い出した」パントキックを上げる指示に気付いたフランカーが
つぶしに来て倒され、フッカーのスパイクが乗り越えて行く「彼だった」
大型スクリーンに前半二本目のトライを日本のプロップが成し遂げた
「ワールドカップ」思わず駆け寄り肩を組み「ビクトリーロード」を歌った。
「全勝で決勝トーナメントいけますね」と言った横顔は間違いなく
「あの時のフッカーだ」あの時の事は覚えていない彼がビールを差し出し
共に飲んだ。頭の傷跡は今もある「とても心地よく」
誰の人生も苦しく傷つく事がある。傷つくことに臆病になり
長いものに巻かれそうな時も思い出し踏みとどまり
批判なんか物ともせず、道理にあわない事にも耐え挑戦もできた。
「あの試合で恐れぬ勇気をもらえた」
「この道をずっとゆけば最後は笑える日がくるさ、ビクトリーロード」
人生を耐え抜いた同士は歌い続け、帰り際彼が母校の名をたずねて来た。
お互い名前も告げず固い握手を交わし
嬉しそうに笑った彼の笑顔は「私の笑顔だった」。

Three Cheers
for
Hip
Hooray Hip Hooray Hip Hooray

「お早う」いつものように明るい笑顔は結婚しても変わらない。
若くしてクリーニング店を出した時、来てくれた女子大生
今ではマンションやオフィスビルに占領された街では苦戦が続き
法人営業や宅配ボックス利用とアイデアを出して支えてくれたが
そろそろ辞め時かなと思っても「お早う」の一言で忘れてしまう。
床屋も和菓子屋も勤め人となり今では警備員や清掃員、
格差が固定化し個人事業主の老後が見えて
「この道を続けて行けば明日がある」とは思えない。
駐車場も駐輪場も公園もそんな年寄りが支えている街を
大手企業には見えているのだろうか、アイロンの手を休め
外に目をやるとテキパキと働く笑顔が「ただいまー」と戻って来た。
ラジオが年金問題と定年延長のニュースを流している
「決めた」絶対に、結果が出ない時ほど
頑張る事を忘れそうな今だから。

甲子園にサイレンが鳴った。
激しい夏の日差しの中で
日本での終戦記念日と言う敗戦記念日
戦争を知らない世代が高齢者となり
あんなにも多くの人が道半ばで
無念に命を捧げた事を忘れていた。
民主主義において個人に無関係な事柄など無いのに
自分も含め他人事になっている。
あの戦争の責任は一人ひとりにあったはずなのに
「黙とう」が終われば
スコアーボードを気にしている自分がいて
知ることを手放した時
激しい夏の日がまた遠のいていく。

次から次とカタカナ語が出てくる世の中
「アナログからデジタルへ」などと言ったのは
いつの頃だろうか？「思い出せない」アナログは死語となり
今ではスマホで映画を見、歌も聞き本も読む。
ショッピングモールがネット通販にと置き換わり
労働力も様変わりして、世の中は音を立てて変わっていく。
スマホを握り老眼鏡を探すこの先に
「次は何があるのだろう」忙しく技術革新が進んで
強者はますます大きくなり弱者が居る事を忘れていく
希望より怖さが先に立ち、ついて行けないアナログ世代
気が付けば訳も分からず令和のレールを走って愚痴を言い
わかったふりして都会に宿って縮んでる。

隣の席で「イラッと」するよなーと若者が話してる
確かに「イラッと」する事が増えたようだ。
思い通りに行かず自分に対しても他人に対しても
思う様に行かないのが世の中なのを忘れて
人は何事も比較し事の善し悪しを判断し
明日に繋げ満足し「イラついて」いる。
人は人、自分と比較しても意味はない
豊かになればなるほど見比べて平和を崩し
歴史の中のいっ時のオアシスと気がつかず
豊かさが永遠でない事も今は忘れ、自分が先に出る。
駅に着き「イラつく」波がまた打ち寄せて来て
都会と言う電車は不気味に走り出す。

夏が近づく光の気配のなか
公園の芝生で近くの園児が遊んでいる。
少子化というのにビル街の真ん中で
気がつくと最近周りでは子供の声が溢れ
さっそうと幼児を乗せ乳母車が通り越す。
あの笑顔、あの瞳に誰も勝てない
もう少し眺めていたいと思ったら
ゴッホの「星月夜」のような雲が出て雨に変わり
街は一瞬の静けさ、子供達も消えていた。
子供の声がしない公園は緑に包まれ綺麗だが
造られた空間に苦しそうに収まって
年寄りに手招きし寂しそう。

会社の会議でこんなにも伝えることが
難しいと知らされた帰り道
ビルの谷間から月を見上げて何故なのか考えてみた。
人は誰しも人生のフィルターを通して物事を考え
同じ世界を見るのは難しい
「分かり合える難しさ、理解し合う難しさ」
難問を呪文の様にブツブツ言っている後を
犬がしっかり付いてきた、こんな都会の真ん中で
難問も守りか攻めかの議論もしっぽを振ってかき消して
「ワン」とも言わずただ首をもたげて付いて来る。
その仕草に子供の頃飼っていた愛犬を思い出し
難しく考える事などないんだねと悟らされ
頭をなぜると「ワン」と答えて駆けてゆく
人間が構築した理の世界なんて小さなものだよと。

ネットで故郷の古文書を調べていて
武鑑と言う分限帳で先祖の方に出くわし驚いた。
ほんの百五十年程前の頃なのに「知らなかった名前」
同じ様に百年後現代にヒットしたら何が残っているのだろうか
数百階の天空に住んで「異常気象に災害、紛争と難民問題」
バラ色ではなさそうな現代を知り「大変だったんだー」と
呟くのだろうか。「どっこい」庶民は楽しんでいたよと叫びたい。
髷を結っていた時代もきっと同じ、身分制度も都市も解体され
変わりゆく中で先祖も「どっこい」と笑っていたと想像し
激動の時代に思いをはせ外に出て明治のモニュメントに一礼し
浦島太郎になった気分でエスカレーターに乗り
夕暮れの現代という都市に戻って行く
時間の流れは「人間の意識の中にだけ」ある。

喫煙ルームもなくなるらしいと
そんな会話が聞こえてきた表通り。
電車通りの煙草屋までピースの缶入りを
買いに行かされた子供の頃「大人達は皆吸っていた」
煙草の似合ったあの時代にはもう戻らない。
映画の中の煙草の煙は「王様の言葉」
あの煙が百万の言葉にも勝った頃があった。
今、あの間合いを何が補っているのか
「怒った時」「泣いた時」「男女が言葉に詰まった時」
スマホをいじっても煙草の煙にはかなわない。
そんな思いも容赦なく打ち消し、静かに煙は消えて
大人の街が味気ない綺麗な街に変わっていく。

「全ては生まれて消える」誰かが創ったフイルムも
誰かが創った高層ビルも跡形も無く消えていく
「それが真実さ」残る物などありはしない。
地球だって月だって、「そこまで聞いて溜息がでた」
残ろうが残るまいが成し遂げたい気持ちは変わらない
心の中の強い思いが作品を創っている。
目まぐるしく変わる現代に忘れ物をするように
一人ろくろを廻し土をこね、リタイヤ後の時間を埋めて
「残すのではないんだよ」と言いたかった。
それをして何かを得ることでもないんだと
一瞬現れて消える虹の「カケラ」の様に心に届けばと
不確実な世界に迷いながら自問自答し
置かれている状況が意識をつくっていく。
深く考え考え、土が語りかけてくる時を待ち
今日も「虹のカケラ」を自分に問う。

誰に一番「会いたいですか」との質問に戸惑った。
突然で先生や初恋の人などと答えたが
本当はどうだろう名前も知らなかった顔が
次々に思い浮かぶ、毎日通った定食屋の女将
ダンスパーティーで可愛かったあの子にも
出来れば会って話したい。
国家とは何か、自由とは何かと議論し合った彼
機動隊に向かって肩組んだ彼女はどうしてる。
ジャズ喫茶で朝まで過ごした連中も
まばたきすれば思い出す。
熱く未来を夢見た頃、都会の隙間でもがいてた
遠い日の彼らや彼女に「会いたいなー」本当に
夕陽が記憶の橋となり肩に優しく降りてきて
忘れられないヤツばかり。

後輩が病に倒れた、下町の可愛い女房は俺が紹介した。
子供達が家を離れても祭りの時は皆が集まる
そんな後輩が郊外の病院に入っている「神様って節穴かい」
言いようのない感情が込み上げて仕事にならなかった。
俺たち優等生ではなかったが外れたままでは終われない
郊外行の電車に乗ると飛んで行く街並みが
学生時代に戻してくれた。「後輩は短距離走の選手だった」
「まだまだ走れるよ」とあの頃の東京タワーが言っている。
「そうさ、まだまだ走れるさ」今だって俺たち
「ゴールなんてまだまだ」バトンはしっかり渡してやる
光景は目まぐるしく入れ替わり富士山に変わってた。

最近決まったように昔の職場の夢を見る。
皆元気でいるのか気になる中「夢で逢う」
打合せの時間が迫っていると部下に言い
報告書は大丈夫かと、焦る姿はリタイヤ組の
トラウマ模様、もう気を揉む事はないのだと
思っても夢の中。次々と記憶が重なり合って現われて
「夢で逢いましょう　夢で逢いましょう
夜があなたを抱きしめ　夜があなたに囁く」と
遠い日のテレビ番組のテーマ曲も鳴り響き
当てにならない記憶の様に甦る職場は懐かしいが
随分違う「やっぱり夢なんだ」と目が覚めて
いつになったら「上を向いて歩こう」に変わるのか
わからないまま夜が今夜も囁く。

ここの所連絡がない友や先輩が増えた。
元気なら連絡があるはずなのに気にかかる
そんな折り高齢者のドキュメンタリーを見た
歳を取っても「素敵に生きる」嘘である。
全てが映し出される姿にチャンネルを変え
八十を超えた先輩が脳裏に浮かび、母を思い出し
友を思った。歳を取ることは酷さとも向き合う事であり
間違いなく自分にもやって来る。
我儘を言い迷惑をかけ自分を見失って生きるより
「そろそろここら辺で」と
脇役に徹した舞台から降りたいが
そうはいかないらしい「死ぬことは選べない」
「素敵な老後」とマスコミが言えば言うほど
目に映る光景が色あせて沈んでいく。

親しく思ってる友からグチが出て
若い頃同じように悩んだ記憶がよみがえり
繰り返す人のあり様に笑って返し酒をつぐ。
得ることばかりより失って分かる事があるよと
知った様な事を言い、自分に当てはめ酔っている。
人はなぜ社会というコミュニティを作ったのか
助け合う為なのに足を引っ張る事があり
小グループに分かれてグチを言う
考えて見れば見事に良く出来たシステムだ。
グチを言い合い社会を築くと言う事は
詰まるところ生活を改善する為なのか・・・
グチを言った後、気分よく寛容になり
社会の一員は遠退いて友と今日も千鳥足。

太古の昔、人類は奇跡的に生き残り
「こんなにも増え」その果てに自分がいる。
子供の頃見た絵本の中では鍛冶屋も
八百屋も助け合って明るく暮らしているが
現実社会では競争競争の毎日
だから文明が開化したかも知れないが
文明が生み出した格差や孤独の中で
豊かな時間はどれ程あるの「寿命は延びて」
偶然に偶然が重なり繋がってここまで来たなら
均一な時間の流れがない時空に飛び乗って
残る時間は絵本の様な村に戻りたい。
晴れた冬空のベランダで月曜を忘れ植木に水をやり
絵本の中を一人歩く日曜の長い午後。

ＭＲＩを撮った、昔は病にならぬように
神社へ「お百度参り」に母たちが行っていた。
人は誰でも何かを信じようとしている
今では検診検診とデーターが
神に代わり人々が信じてる。
フィクションの神よりも確かに現実的だが
データーの根拠が気にかかる。
それでも数字の神は矛盾だらけの社会に信頼され
「データーには逆らえない」
数字が真実を引き寄せて医者の顔より
味方のふりして座ってた。
明日のデーターが雨を示している
画面の数値を一喜一憂し病院を後にする。

バラバラに離れても家族なのだろうか
世渡りが下手で不器用な頑固者はコッコッと
社会から見放された様に都会の隅で生きて来て
家族からも無視され酒を飲んでは日々無口になる。
家族を守る為に我武者羅に走り輝いていた頃
言葉に出さずとも分かり合えるには若かった。
それぞれの事情で家族の形があるなんて気付きもせずに
もう戻れない頃を忘れるため酒を飲み人生が進まない。
「明日、定年となる」返事は来なくても「連絡はする」
上弦の月が照らすアスファルトが明るく輝いて
次の舞台に誘っている。「皆元気だ心配ないよ」
不器用でいい「二幕目が上がるよ」と
ビル街の闇が笑ってる
きっと会えるよ「振出だから」。

for though they may be parted

there is still a chance that they will see

there will be an answer

Let it be

もう草は春となり暖かい早朝
部分的に光が差し、お香が漂う堂内の空間で
欧州人が静かに祈っている。
お寺の神秘さと水平性を機軸にした包み込む空間が
教会にも共通していると知らされた。
こんなにも癒される造形を創った先人達は
垂直性の合理的でガラスばかりが目立ち
際立つ個性が消えた現代の建物に
何を思うだろうか。技術の進歩も良いが何かが違う
粗略でも志のある方が心地よい
そんな比較は「無意味」だと外に出ると
コンクリート造りの境内の向こうに
鉄骨のタワーが馴染んで青空に向かっていた。

玄関のモニターに明るい声が残ってた。
「民生委員ですお元気ですか」と
一人暮らしの老人に優しい「声かけ」かもしれないが
無視して珈琲を飲みながら手帳の予定表に目を移し
友の「しのぶ会」を思い出した。目立たなく勤勉に生き
一人暮しで同じ歳の釣り仲間、半年遅れで仲間が集まり
故郷から妹が来て「帰って来れば」と話をしていたのにと
初めて知る兄の友達に頭を下げてまわっていた。
「知らなかった」知っている様で知らない付合い
若い時には何でも話せる友がいたのに気が付けば
今は鎧に身を固め友達顔して盛り上がる。
「これでいいのかなー」と友の顔が浮かび
鎧の脱げない都会の中でバカヤローと叫んでた。

仕事帰りに先輩が「今日、墓仕舞して俺は散骨でいく事にした」と
呟く様に言った。俺も後二年で定年だ、墓なら故郷にあるが随分行ってない
大切な人が少しずつ忘れられていく。親として子供のなかで生きながらえて
友として仲間やパートナーのなかで生きながらえて「それでいい」
ほんの少し側に居ただけだから、全てのことが終われば「それでいい」
そう思って墓の事を考え弟に電話した。
昨日と同じように雲は流れて街は歩みを止めない
太陽は暖かく元気を届けてくれる。「それでいい」
「本当に大事なものなど無いんだよ」とビルの谷間で月が言って
東京タワーの灯りが夏から冬に変わった。
古い映像の人々は誰一人今は居ない、でも一人ひとりの人生は
確かにあったはず「そーさ俺だって」だから何も遺しはしない「それでいい」
何事もなかった様に夜明けが優しくやって来て、いつもの一日が始まった。
人としての在り様は遺すことではないんだと。

幾つものクレーンがニョキニョキと立つ空が変わった。
オリンピックが近づく都心はクレーンが姿を消し
便利な機能を持ち、綺麗な空間に生まれ変わり
人の往来も変え、どん欲に肥大化し、人を従え自然を否定する。
「春の小川はさらさら行くよ。岸のすみれや、れんげの花に」と
詠める都心は姿なく忘れられ、今は小さな空で満足している。
「変だよなー」と友に言えば「無い物ねだりだねー」と返され
「コンビニも図書館も美術館もなくて時間をどう使う?」と
追い打ちがきた。流れに合わせ歩んでは文句ばかりを言い
便利性の経済で成り立つ砦の中から羽ばたけぬ自分が見えた。
昔を振り返れば振り返るほど砦の塀はますます高くなり
進化するビル街に季節は来て、自然に触れ合う機会もないが
春空の光には「春の小川」が似あって響き、子供の様に
「すがたやさしく、色うつくしく」と口ずさむ。

簡単にすむ事で
難しい事ではないのだが通じない。
「知に働けば角が立つ、情に棹させば流される」
振り返ればその通りと思える漱石の言葉
難しいバランスと「人の世は住みにくい」に納得する。
リタイヤすればそれも「おさらば」と自分勝手に考えて
気ままに生きると思ったが相変わらず流されて
小さなことに思い悩む自分がいる。
「どうしてかねー」と天気の良い空を見上げ猫に聞く
「頭でっかちだから人間は」と知らんぷりして横切った。
最も重要な事が最も表現しにくい人間社会
「猫はいいよなー」と呟くと猫は目を閉じてうずくまり
のんきに出番待ちしながらあくび一つして
「理屈っぽいよ」と目を開けた。

昼休みに「月に水があるんですね」と女子社員が言う
アームストロングが行った月「じゃー住めるんだ」と聞き直した。
人工衛星の様に動かない俺だが月に行き昇る地球を眺めて観たい
あの時の一歩を深夜のテレビで一人見て
ワクワクし古いものが一瞬で変わっていく様で眠れなかった。
現実はどうだったのか「変わった様で変わらない」
街は華麗に変わっても複雑すぎる社会は個を飲み込み変わらない
未来に繋ぐ文化は「持つ文化から持たない文化」と言われ出し
昔堅気の営業マンを迷わせ、昭和で足踏みし変われないが
ブルー色の地球は変わらず月に昇り魅了する。
月に住めるなら決めたいなー「退職金で」と冗談を言い
時代の変化に乗り遅れ、午後のオフィスに戻って行く。

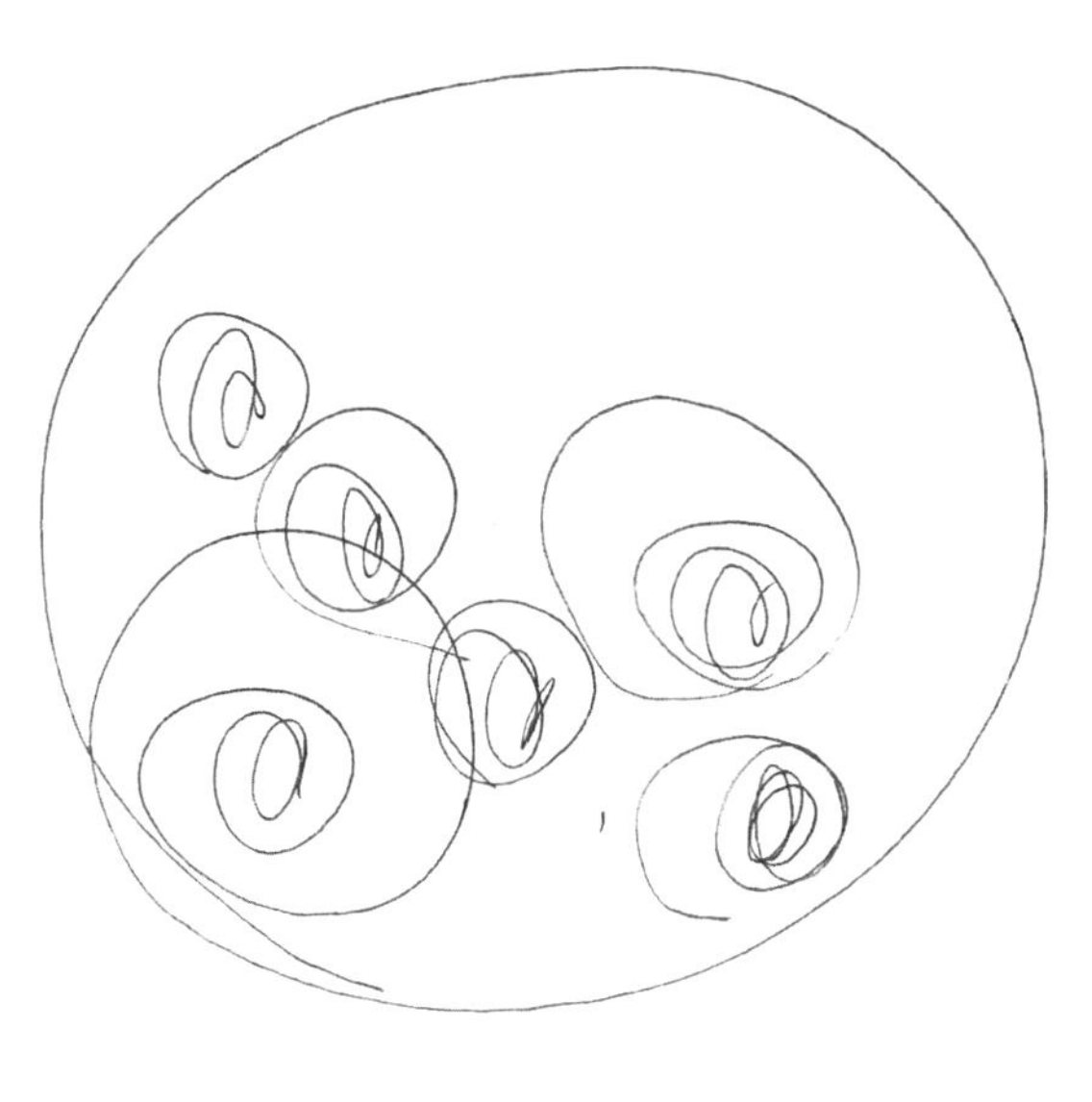

Moon

友人が孫の写真を見せながら幸福そうな笑顔を向けた。
子どもの居ない夫婦には眩しい笑顔
いつまでも仲は良いけれど、いつかは終わる
「永遠なんて無いんだよ」と残された時を考えた。
生きることは何も難しいことではないけれど
祈るような思いをいつまで持てるか分からない。
雲のようにいつの間にか現れて去っていく
子どもに繋ぐことのない人生も、時代の中で生かされて
誰かと繋がって明日を生き去っていく。
「みんな同じなんだよ、皆」と星が瞬きして
星の少ない夜空に飛行機のテールライトが輝いて消えてゆく
全ては流れ去っていくようにゆっくりと。

穏やかな日、陽の当たらぬ都心の水路から
日本橋を見上げたら、あわただしく行きかう人の
その上に高速道路があり、高層ビルの街並みと共に
明るい陽射しに満ち悠然と見下ろしている。
人々は足元に静かな流れがある事に気が付かず
人が見る範囲は狭く、見えない足元を忘れている
世の中は見えるものだけで成り立っているのではない。
考えてみれば多くのスタッフや仲間で仕事も成り立ち
見えていない所に本質と本物があり支えている。
感謝とはそんな見えない場所にこそ贈られる「言葉」
歴史ある水路は華やかな街の下で明日も変わらない。

今日はお彼岸、先祖への供養とある。
向こうの世界は煩悩のない極楽浄土
現実より向こうの世界を考える。
欧米には生活の中に宗教という基礎があり
家族への思いは強く、日に教えを説き連帯がある。
宗教心に乏しい日本、仏教は「空」を説き
「神の教え」とは違って緩やかにあるが
やはり生活の中にあるのだと気付かされ
「空」と余りにも違った自分のありように
アタフタし、正しい道理を知らず自分中心でいる。
今日一日事物への執着心を取払ってと言い聞かせ
秋晴れの下、供花を求め街に出て
人波の内に埋もれて煩悩と歩いている。

「終活」嫌な言葉だねと友に言うと
必要なんだよ「お前みたいなヤツには」と返され
身寄りもなく友達に迷惑かけそうな自分がいた。
子供とは随分会っていない、親戚との付き合いもない
俺が死んだらどうなるのかと想像し
言葉を失くし小さな都会の空を見た。
俺は誰からも忘れられ、見上げられないで黙っていたが
青空は見事に夏の空で頼もしい。
友が続けて「でも皆同じさ」と言い空を見上げている。
「同じなのかなー」行き当たりばったりで
我儘ばかりの蛇行した道、振り返る勇気もなくて
言葉が出なかった。同じように思えないが
きっとあの青空は誰から見ても頼もしくある
俺が雲を隠している様に。

「見えない」高架だから鉄塔が良く見えた東京郊外の駅
今はビルが邪魔をしていた。小さな都内の町工場の二代目だった
この町に息子が住んでいる。入学式前の休日
実家に行ったまま帰って来なかった「好きな人ができたの」
親父が死にバブルも弾け工場を維持するのに必死だったそんな時だった。
この街のどの学校かも教えられず、息子に会うため借りたマンションから
送電線の鉄塔が見えた。その側に彼女の実家はあった。
孫への再会も叶わず母も去り、工場を畳んで知人のいない地方の町に移っても
欠かさず年越し蕎麦と学費を送ったが、便りのないまま平成から令和となり
今日この駅沿いのベンチから鉄塔を見ている。「あの頃鉄塔になりたかった」
あの鉄塔に、「電線をつないで孤独に踏ん張っている鉄塔に」
日が落ちて「もう来れないな」と自分に呟き忘れられた鉄塔に背を向けると
自宅に向かうサラリーマンの波「息子もそろそろ帰りかなー」
「住んで居ないかもなー」「忘れてるよなー」
すれ違っても、わからないと思っても、人波をいつまでも追い
「今年も蕎麦を送る」と決め鉄塔にも別れを告げた。

陽気の良い日にぶらりと本屋に入り
タイトルが気に入って興味の無かったジャンルの
本を手に取り新しい世界に入り込む
自分と関わりのない知識も社会も見させてくれて
カフェの時間は夕闇に直行し本を閉じた。
ただの紙なのに文字が現れ印字する事が発見され
ちっぽけな自分でも英雄になれ自由奔放に空想が駆け回り
素晴らしい恋もし世界の街も歩いてる。
老いも若きも想像する楽しさを知って抜け出せない
リアルな現実はこの瞬間だけなのに
きっと人間の好奇心は本によって
うんと膨らんで柔軟性や多様性を育てて
不安という怪物から逃げ切れる。

テレビを見ていたら突然新橋の機関車広場で
幼馴染が娘さんとインタビューを受けている。
リアルタイムの現実に
「元気でいるんだね」と声を掛けたかった。
同僚が「娘は優しいから」と言っていたのを思い出した。
母と娘の仲良しは父と息子じゃ違ってる。
親父のことは好きだったが若い時は意味なく反抗し
一緒に歩くのは嫌だった頃を懐かしく反省する。
「スマホがあれば違ってたかも」と妻が言う
スマホがない時代は言葉をポケットにしまってた。
夫婦だって親子だって言葉足りずに誤解もしたが
伝える気持ちは強かった。手紙から電話、メールと移り
言葉の軽さが気にかかる「違うよなー」と思っても
今じゃ娘息子と連れだってスマホ片手に歩いてる。

「新しい駅が出来る」高輪で
仕事の後、屋上に連れだって行き駅を見た。
十五号線脇の線路沿いのビルはもうすぐ壊される
懐かしいマンションが見えた。江戸時代は月見の名所
二十年前は東京湾も富士山も一望できたが
周囲は一変しマンションに建ち塞がれている。
屋根に広告灯があるタクシーは通れない高輪大木戸跡の
「お化けトンネル」も「伊皿子の急な坂道」も
元気一杯の子供にとっては恰好の遊び場だった界隈が
大きく変わり私のアルバムから消えていく
別の日、寂しい気持ちで家族と歩いてみた。
「幼稚園のマリア様は変わらないなー」と言った後ろから
「ごきげんよう」と元気な声が聞こえ勢いよく去って行く
次から次へと「変わってはいないんだね、きっと」
子供たちの東京は。

サラリーマンのひけた午前のカフェで
そろそろ田舎暮らしも悪くはないかと新聞に目を落とすと
高齢者の生涯現役時代などとマスコミが言う。
「生涯現役」聞こえはいいが特に技術もないリタイヤ組に重たく響く
高齢者にとっては生きにくい時代が始まった。
求人誌に元気で居られる年を追い、自らの老いを実感し珈琲を飲む。
複雑に絡み合った社会に奇跡の様にぶら下がり
結局は都会の雑踏の中にしか生きていけないもどかしさ
見渡せば人間が造り上げた自然のない画一なビル街
「お気を付けて」と若い店員の優しい言葉を後に街に出ると
人混みのあちらこちらに白髪頭が目に付き
おぼつかない人生に向かって歩く現実に広野は無く
ビル風が追い越していく。

102

沖縄の海を漂っていた海亀が
箱の中ではく製君で眠っている。
返還前の沖縄から送られて来て以来
高度成長もバブル崩壊も飛び越えて
静かに先行するデジタル経済の中
世の中は心を持たない物質の観念がいきわたり
今では「はく製」は「はく製君」ではないらしい。
君が泳いでいた昔、人は月にも花にも
樹木や石にも心を見て話しかけ孤独をなぐさめた。
ＡＩロボットはどっちなのとはく製君に呟くと
心を持たない海亀が笑っている
昔居た竜宮城を思い出しているかの様に。

仕事を探している友が来て
年齢で撥ねられるんだよと昔スポーツマンの彼が言う
「やる気と現実」の狭間でグチがでる。
何かを見つけたい「いら立ち」が天秤の様に揺れ動き
テレビを見ると世襲ばかりの国会中継
晴れた空には似合わない、チャンネルを変えれば
知らない歌が流れて外に出た。
澄みわたる空の下、街はあわただしく息づいて
「皆、働いているねー」と友が言い
何もしなければ枯れていくよと振り向いて
サラリーマンの群れに置いてきぼりのシニアは
人生の四季は繰り返さないと分かっていても
ファイティングポーズで花咲く時を待つ。

Challenge

難しいことじゃ無いよ「忘れてしまえばパラダイス」
そうかもしれないパラダイスなどこの世にはないけれど忘れさえすれば
でも酒が進まない、言われれば言われる程惨めになって店を出た。
街はクリスマス、昭和の様なバカ騒ぎもなく大人の顔ですましている
ウインドーガラスに仕事先の担当者の顔がチラついた。
「良かれと願ってしたことが悪い影響を及ぼす事もある」
何度も経験したことが定年間際のこの歳でも繰り返す。
同僚と別れ一つ先の駅まで歩いていると、クリスマスケーキを売っていた
親父が買っていた「昭和のクリスマスケーキ」同じ様に買ってみた。
親父は辛い顔は見せず愚痴も言わず寡黙だったが
クリスマスには必ずケーキを買って来た。
家族でケーキを食べながら、不思議と勇気が湧いて笑ってる
「逃げたりはしない」パラダイスはすぐ側にあり
心広く有れば真理は笑顔が引き寄せると知らされた。

マンションのクリスマスツリーが
門松に変わり数日経てば令和の正月
大きなビルに門松は増えたが街に変わりがない。
昭和の頃は祝日も旗日と言って日の丸を飾り
正月はお屠蘇に晴れ着と決まっていたが
今では大人もお屠蘇を知らず、お節料理も分が悪く
クリスマスケーキに席を譲って退屈な正月となり
クリスマスがハロウィンに追い越され
都会の行事が年々変わっていく世相のなかで
年が変われば初詣に出かけ無事を願う。
不思議である、羽子板の音が無くても心が動き
「神は絶対にサイコロを振らない」と思っても
安泰をお屠蘇気分で祈っている。

今までにどれ程の人達がこの世に生き
時の流れと言う中に人生を送ったのか
考えて見れば不思議である。
自分もその大勢の一人、いつか生涯を終える。
定期船が出る桟橋で飽きずに夕陽を見て答えの出ない事を
考える時間と孤独、この時代のこの国に生まれ
還暦を過ぎても人生の意味もわからずにある。
忙しく目先のことを追っていた時には思いもしなかった。
知っていると思っていた事が実はよく知らなかったと気が付き
すべてに永遠と言うものが無いようにも思えてきて
夕陽が沈んでいく、その包み込む様な輝きが眩しい。
先人も同じ様に考え悩み、飽きずに夕陽を見たと思いたい
それだけで今日と言う一日が満たされる。

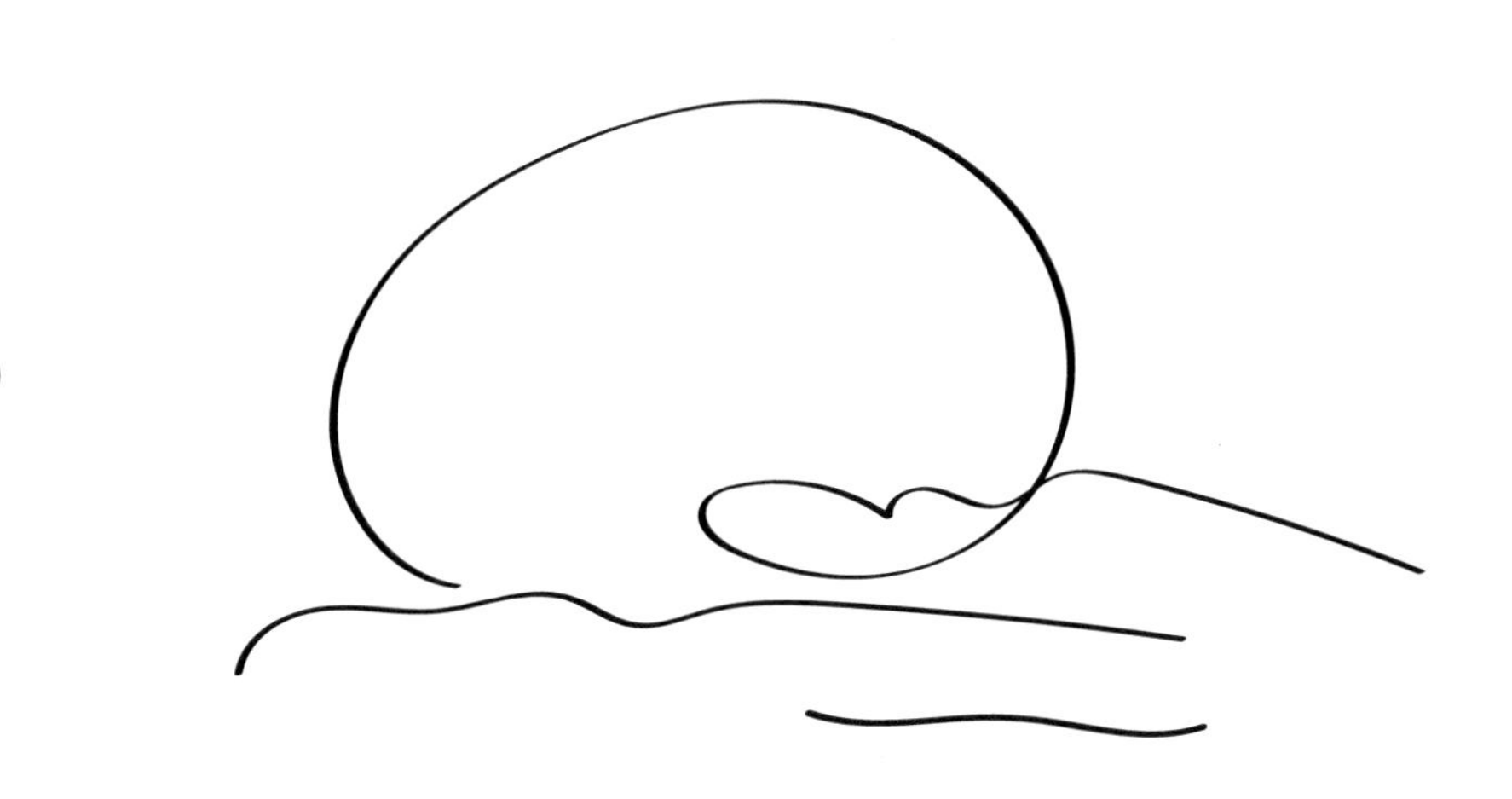

春の日、義理の弟の引っ越しに兄弟が集まった。
「いいよなー」一人っ子には羨ましいシチュエーション
子供の頃キャッチボールは壁だった。
ワイワイ騒ぐ事もなく、テレビを見ても本を読んでも
「すごいなー」と言える相手が見つからず
いつも一人で遊び、何事も一人で考え「寂しかった」
あの頃から集団から一歩引き
長い旅路の果てに今があり気が付けば
世間では「個の時代」などともてはやされている。
情報社会の中では寂しさは薄れ、一人遊びの多い都会で
殻に閉じこもり「それでいいのかい?」と我に返り
息子の事を思った。同じ思いで壁にボールをキックして
寂しさと長い旅路を共にして親を越して行くことを
時代をへだてても変わらないものがここにある。

幼馴染から久々に年賀状が来た。
今でも集まって居るよと
懐かしい面々の名前が記されている
あの頃は道路がキャンバスでグランドだった。
東京タワーの建つ頃は、遊びも自分達で考え工夫もし
路地や家々に囲まれた原っぱで群れていた。
今やビルに囲まれたマンションで子供達の声は響かない
遊びもスマホの中にあり、きっとこの懐かしさは味わえない
記憶を巻き戻すとあの路地が浮かんでくる。
皆同じ様に貧しくて、いたずら好きでわんぱくで
明日が待ち遠しかった。
遠回りしたブーメランのように戻っても
明日を待ち遠しく思った心は戻らない。

妻の予定表が詰まっていく、少し前までは違っていた。
ボランティアにコーラス、お茶会と仕事の打合せ
今では妻の人気で成り立っている小さな事務所。
新しいシステムに置いてきぼりと勉強家の彼女では仕方がない
予定表の空白が少しずつ増え今年は手帳を買わなかった。
寂しいがいずれ土となり砂となる、自分の居なくなった世界が
想像出来ない。過去は確かにあるけど、ほんの少しの
未来も分からない。考えて見れば何の為に生きるのか
禅問答の様に繰り返す「目的などありはしない」歯がゆいが
「彼女は彼女でやっていく」「息子は息子でやっていく」
戦争を知らない子供達と呼ばれた俺たち。ＥＮＤが刻まれる
その日まで、地球環境も時代変化も先送りして極楽に居る
親父の好きだったツツジは今年ももうすぐ花が咲く。

新しくできた駅に行ってみた。
開放感のある駅に立ち
子供と山手線のスタンプラリーに
二人で出かけた頃を思い出した。
あれから二十数年も経ち大人になって
山手線にも乗り働いている。
あの時妻が作ってくれたおにぎりを
東京駅で食べた事など忘れて
忙しく駅を素通りして、いっぱしの社会人
人は順番に大人になり
社会での立ち位置を図り溶け込んでゆく
新駅も昔からある様にすっかり溶け込んで
人生が短い事も飲み込んでいた。

銀座一丁目に思い出深いビルが有り
久し振りに行って見るとホテルに代わっていた。
昭和三十年代には近代的だった建物は中途半端に生き残り
街中にぽつんと忘れられ、行き場を無くして消えていく
「街は機能であり」人が造り改造する。同じ様な街角で
「そろそろ建替えだね」と話す人波から離れてビルを眺めたら
自分を観ている様で少し切ない気持ちになった。
年月を重ね周りの街並みから浮いていく建物にも
活躍した時代があった「間違いなく」
「美は乱調にあり」などと言うが空々しく聞こえ
画一化する建物、物事は少しずつ変わってゆき平均化され
気が付いた時には、飼いならされた世界で戻れない。
振り返る事が良いのか悪いのか街並みは答えてくれず
次々に機能美とガラスの化粧に変わって行く。

親しい同期だったのに「がっかりだ」などと
ひとり飲み屋の猫に言っている。
賛成が得られず負け組となった今日の会議
跳ね返すしたたかさを棚に上げ
自分の事ばかり考えていると猫の顔が語っている。
「そうだね！」YESかNO、0か1と言う
デジタル化が支配して我々はさらに単純になり
「自分が正しく、相手は間違っている」と信じ込む
肝心なのは勝負だけにあるのではない事を知ることだ。
自我を捨て我慢し待ち続ける事もまだまだ必要と
さとされて「わかってる」と杯を空け
猫ママを後に駅までダッシュして
せっかちな負け組は亀の様にはなれなくて
朝になったらデジタルの中をまた走る。

人生にはいろいろな偶然がありどう展開するか分からない
チョットした切っ掛けで仕事を頂きダメにもする
そんな事はずいぶんあったけど今回は違っていた。
こんなに辺鄙な異国の地でまさかの再会
彼は昔よく通った都内のレストランオーナー
あまりにも偶然で飲み明かし仕事の予定をボツにした。
羽田からの帰り道、仕事先に有のまま話したら
「冗談でしょ」と言われ、月夜の下で星を相手の彼に
メールした。「どーって事ないよ」の後に
久しぶりの雨で風呂気分を味わったと返って来た
星の見えないビル街の下でスマホ相手の俺に。
地球の距離と心がすり減る思いが交差して、残る人生
雨水風呂に入ると「決め」ネオンの夜空に別れを告げる
時には偶然が人生を大きく変える事がある。

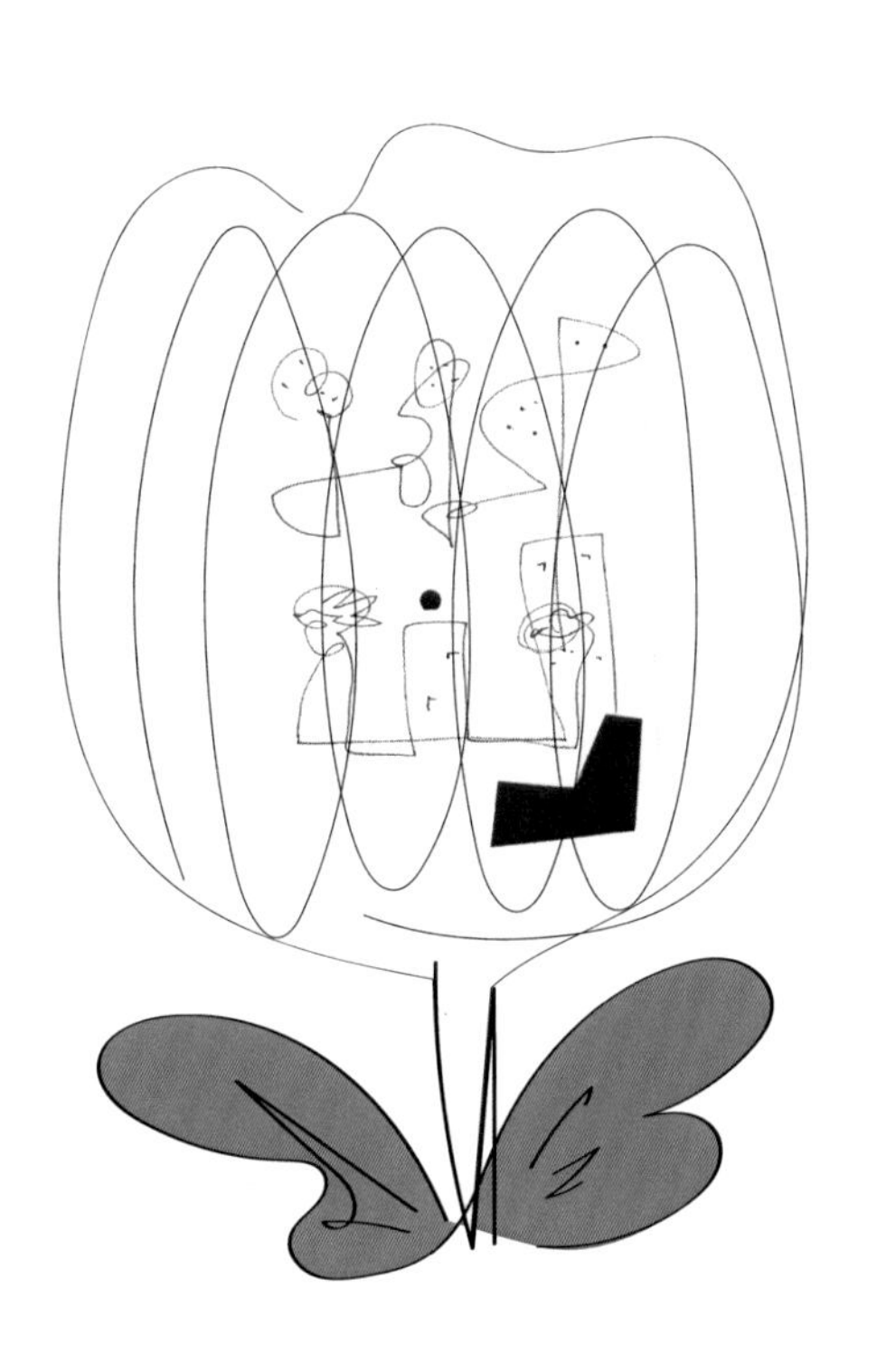

気持のいい朝、窓越しの空には雲一つない
自分が逝くならこんな日がいい。
人生には思いがけない事もあったが
「楽しかった」だから寂しくはない
こんな青空があればと思って
住所録に目をやり考えた。
知らせることなんかないなーと
一年も経てば忘れるし、何年か経っての
「風の便りで十分」雲一つない青空があって
アイツ死んだんだと苦笑いしてくれればと
思ってみたが現実はわからない。
そこに自分は居ないのだから「ね！」
夕暮れどき、幼馴染の店に顔を出し
青空を忘れ日々また生かされている。

自分が一番と考え平気で嘘を通す身勝手な人が居る
「我儘を言い」通らなければ無視をして全てを傷つけ
相手の気持ちを考えず突き進み振り返らない。
我慢する事が大人と思っていたが「今の世は分が悪い」
我儘な嘘で傷ついた心は深い闇に溶けて今も戻れない。
子供の我儘を注意もしない大人がいて
親の我儘に振り回される子供もいる。
「どうしてかねー」と寂しく聞く心に
与謝野鉄幹の「人を恋うる歌」が響く
「六分の侠気 四分の熱」「君ならでは誰が知る」と
明治の頃に詠ってる、遠き遠き日「誠の義」が有った頃。
身勝手な嘘と話題は今日も届けられ無関心となり
熱き心を失ってスーパーマンは現れない。

青空が窓いっぱいに広がって
陽射しの暖かいベランダに出てみると
鉢植えの中に蓑虫を見つけた。
春になるまで越冬し短い一生を迎える
切ない気持ちになりふと外を見て
縁側のこころよい居心地を思い出した。
目線の先には緑と土があったのに
ベランダの先にはビルと空
内でもなく外でもない光に満ちた縁側が
優しい時間を与えてくれ未来を夢見た。
風に揺れる葉の下でジッとして夢見てる
「縁側を知らない蓑虫君」
春に羽ばたくまで俺たちは一緒だよ。

雲の多い空を見て

人生の曲がり角で抱え込んだ重たい影が
付きまとう。どうしてこうなったのか
消えない怒りや悲しみ、そして後悔
人の心は読めないがどんな不満や絶望も
間違いなく自分の責任であり転化できない。
人は協力し合っていくためにあるはずが
ほんの少しのボタンの掛け違いで
古びた洋服がぬげないで今もいる。
年月が経ちそろそろゴールが近づいて
責任の在り様を考えても歩んだ道は変わらない
明日にはあれをしこれをしと考える合間に
古い出来事は雲に飲まれて消えていた。

平成の前にかって戦後昭和という熱い時代があった。
ＡＩと言う言葉すら想像がつかず
只、輝かしい未来があるとひたすら信じ
一歩前を向き歩んだ時代から
気が付けば遥かな令和の時代となり
混沌とした波は浄化され個性とは名ばかりで
ますます人々は退化して画一化され商品化され
経済優先社会に熱い心は遠のいて
これが目指していた未来なのか？
自然を追いやりますますホモサピエンスだけになり
地球が暴れだすこの先に未来はなく
戦後の昭和を忘れられない世代には
まさに今が「宇宙の旅」。

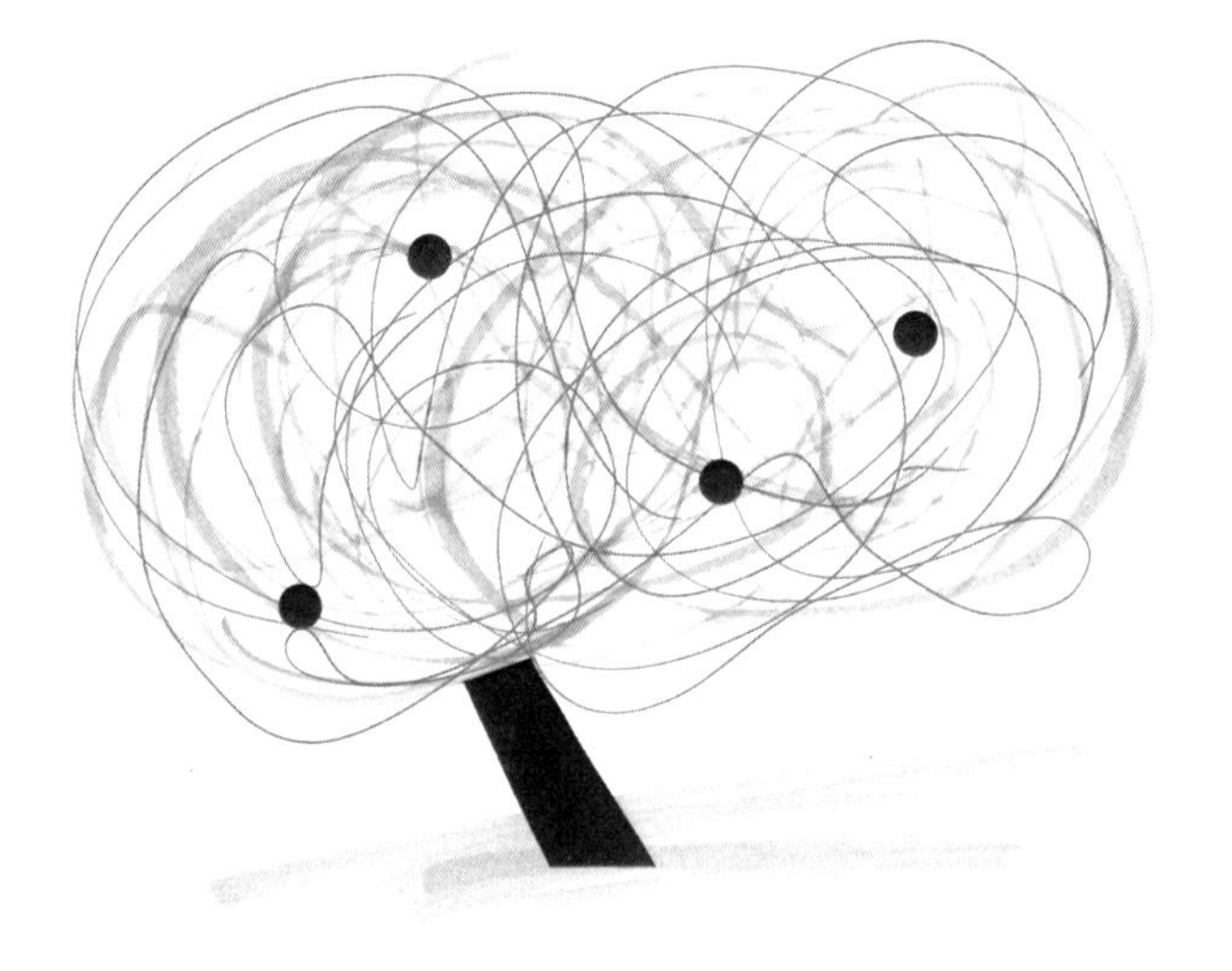

早くも沖縄では桜が咲いたと言っている
同僚が暖かい所に越すんだよと
早期退職して職場を去った事を思い出した。
来年定年を迎えるがまだビジョンは描けない
次の職場でのんびり過ごす事など今では夢物語
このまま島にでも移住したいが
家族の顔が浮かんでは消え進めない。
都会に出るのが夢だった
「その先があるなんて」大きく溜息をついて
靴を履き目的がない駒は進めない。
ラッシュアワーの人波が無限大の記号の様に
繰り返し襲ってきて車内は春を越していた。

聞かれなくなっても聞きたい曲がある
プラターズとヘレンシャピロは青春の入口だった。
何もかもが輝いていて掛け替えのない友情に
怖い物さえ無かった、コニーフランシス達が歌う
あの時代に音楽は時を飛び越える「一瞬のうちに」
耳元に「グレートプリテンダー」が囁き流れ
回転木馬の様に多感な時期のあの街に戻り
「悲しき片思い」「悲しき雨音」「カラーに口紅」等々
夢中にさせられた曲の数々と友が蘇っても
誰にでもあったあの一途な情熱と淡い思いを忘れてる。
奇跡が起こればもう一度戻りたいあの街
「青春とは一度きり」第二の青春などは無く
誰にもあって平等に回転木馬は回ってる。

久し振りに子供が来て食事をした。
伝えたい事は山ほどあるが
今日も当たり障りのない会話が幅を利かす
核家族化などと言われる前
家庭の食卓は一同が会し、両親の会話から
社会を知り、疑問を知り礼儀も習い
まさに家族の「へそ」の様だった。
子供が成人となった今でも食卓は「へそ」である
どんな時代でも家族で食卓を囲むと言う事は
正に愛を食べると言う事であり
家族と自分を結ぶ心の温もりの物語
これ以上に大切な事も、これ以上の幻想もなく
ただ平和であり続ける証しである。

テレビを見ているとコメンテーターが
「文明」って凄いですねと言っていたのが気にかかり
調べてみると文明は「都市を基盤にして多様な職業に
分化され、技術面が高度に発達した社会の形態」とある。
なるほどだが、発達した高度の進歩が
いつも有益であるという理由はない
これまでに繁栄した文明も混沌のうちに崩壊したのに
我々の文明と何が違うのかコメンテーターは答えない。
単一栽培の食材にペットボトルの水を飲み管理された室内で
ランニングマシンに乗っている進歩が腑に落ちない
多くの犠牲で成り立って地球という乗り物を人類が独占する
文明がもたらす恩恵に感謝しながらも何かが「のど」に引掛り
テレビを消して眺める街は混沌としたビル達の森。

近頃「絆」とかの言葉が溢れている。
絆が全てと言っている様で
仲良くという幻想だけが我々に迫り
踊らされ虚ろな幸せに酔い続け
繋ぎ止める何かが欲しくて言っている
何を繋ぎ止めるのかを手探りして
孤独から逃げようなんて
人は生まれて、生きて、枯れて、去っていく
何も残らず今日を生き「分かち合い」
一瞬の「絆」に希望を夢見て良とする
寛容と連帯に言葉はいらないことを
知って「絆」が虚ろにこだまする。

人は誰でも見えない所で
自分を支えている人がいる。
笑顔が眩しい貴方のお陰で今があり
振り返れば闇のふちで悲しみが極まった時
希望と言う勇気で励ましてくれた貴方に
感謝と言う言葉を贈りたい。
全ては貴方から始まり今があり
これからのゴールまで続く光の道は
間違いなく貴方と全ての人と共に歩む道
人生と言うドラマはかけがえのないもので
万物に与えられた真珠の首飾りである。

従兄弟から便りが来て
子供の頃よく遊んだ兄貴分の面々が
認知症やガンだと知らされる。
長生きする事は辛くもあり寂しさを隠せない
水がしみ入る様に気が付けば歳を取り
古びた懐かしい光景ばかりを追っている。
現実社会は経済を優先し、前へ前へと進んでゆき
大事な何かを置き忘れ、自然環境は厳しさを増し
ひたすらに蝶やトンボを追うよりも
目の前の街は忙しく息づいて「時は移ろう」
自然に囲まれて親戚の面々と過ごした
穏やかな夏は二度と戻らない。

親父が亡くなって一年が過ぎた頃
仕事先の社長に偶然誘われ奉仕活動に加わった。
まだ働き盛りで忙しかったが不思議な巡りあわせだと思って
あれから四半世紀。東京の街の色も変わり匂いも変わり
今じゃ洒落たカフェが並ぶ街角で亡き友の思い出が
不意に顔を出し立ち止まり、新しき事は忘れている。
そんな坂道をゆっくり歩きながら、あれから変わった事
変わらなかった事を思いつぶやく「変えられないよ」今さら
「そうだよね」刻まれた年月を綺麗な街並みが優しく包んで
たどり着くと顔ぶれは変わっても心の通う仲間がいて
残された寂しさと時を忘れ歌ってる。
中学生の頃、親父に連れられ参加して「親父も歌っていた」
「微笑つ　別れん」と輪になって嬉しそうに、今私が歌っている。
「固き握手のうち　友情こめて　また逢う日まで　健やかに」
聞こえない声も歌ってる、精一杯生きれば明日に繋がると。

同年代の訃報報道を知り
同じ時代背景を背負いながら余りにも違う生き方に
振り返れば振り返るほど人生の不思議を想い
同じではない誰にでもある人生が
戻れない道であると知る。時代の風に翻弄され
変われない何かを背負って黙々と歩く人生という道
誰もわからぬその先へと続くこの道は
祖父も父も歩いた懐かしき道、私も歩み我が子も歩む
この道は新しくも古くもなく続き、祖母も母も歩んだ道
歩みを止めたその先は父も母も教えてくれず
誰もが迷い込む心の闇の先にあり
時代の狭間で消えてゆく。

春の桜が待ち遠しい頃から
日に日に街中から人が居なくなり
高層ビル内はシャッター街となった。
十四世紀ペスト菌の流行で街は孤立し
明治のコレラ菌騒動は衛生行政の原点となり
コロナ菌でテレワークに代わる。
細菌が人間のあり方を変えてゆく
武力よりも強烈でひたひたと無差別に
人間の見せかけの鼻っ柱は一瞬で崩れ去ってゆき
昔のようには神を信じないが化学も信じられない。
死者の数だけが悪魔の様に追ってきて「惑わせて」
全体主義が叫びだす。
葉桜となって過ぎゆく春の先の「そのまた先に」
願わくは再びのルネサンスをと夢に見る。

藤村拓也

Thank you for reading

TOKYO STORY 凸凹: 文・画・写真:藤村拓也

発行元:UP BOOKS　up-books.com
初版：令和2年10月15日
ISBN：978-4-910418-00-1
無断で本書の一部又は全部を複写複製することは著作権法上の例外を除き禁じられています。

UP BOOKS

貴方の TOKYO STORY を募集中

書名「私達の TOKYO STORY」に掲載する文章を募集しております。
詳しくは UP BOOKS ホームページ（https://up-books.com）をご覧ください。